AF816424

Jeff Harrington

Essential Solos for Trumpet

28 Solos on Popular Jazz Standards
28 Solos über beliebte Jazz-Standards
28 Solos de standards de jazz populaires

für Trompete
pour trompette

ADV 14422
ISMN 979-0-2063-0042-4

advance music

Dedicated to and in loving memory of my brother Ty Harrington.

Jeff Harrington, saxophonist, is a Professor at Berklee College of Music and a D'Addario Artist/Ambassador. He has performed, recorded and given clinics in Europe, Asia, the Caribbean and the US. He is the author of Blues Improvisation Complete (Hal Leonard) and Great Smooth Jazz, R&B and Pop Saxophone Solos (Hal Leonard). To learn about his recordings, books, and more, visit http://jeffharrington.com/.

ADV 14422
ISMN 979-0-2063-0042-4
UPC 805095144222
Cover Design: Schultz & Schultz, Mediengestaltung, Wien
Translations: Heike Brühl (D), Béatrice Boucouris (F)

CD credits:
Greg Hopkins – Trumpet, Flugelhorn · Steve Hunt – Piano · Bruce Gertz – Bass · Jack Diefendorf – Drums
Trumpet and flugelhorn recording and mixing/mastering by Bob Patton at Thin Ice Productions, North Andover, MA, USA
Rhythm section recorded at PBS Studios, Westwood, MA, USA. Engineer: Peter Kontrimas
Rhythm section mixing at Thin Ice Productions, North Andover, MA, USA. Engineer: Bob Patton
Additional mixing at The Kitchen Recording Studio, Chelmsford, MA, USA. Engineer: Steve Hunt
Supplemental mixing at Sound Architect, Boston, MA, USA. Engineer: David Cardona

Printed in Germany

Table of Contents

CD EXTRA (audio and mp3 files)
The play-along CD contains audio tracks and mp3 files.
When the CD is inserted in a CD player, there are 29 CD audio tracks: 28 of the soloist with rhythm section (soloist is only in the left channel). By muting the left channel you can play with just the rhythm section and no soloist. Track 29 is a tuning track.
When you insert the CD in the computer, you will find also 57 mp3 files: 28 of the soloist with rhythm section, 28 of only the rhythm section, and one tuning track. The mp3 files can be played on a computer or mp3 player.

Introduction

About The Book

This book can be approached in a variety of ways. Each solo gives you the opportunity to work on reading, technique, phrasing, articulation and overall style. In addition, the melodic content of these solos provides you with a wealth of idiomatic jazz and blues vocabulary. Once learned and played with the accompanying CD, these solos can serve as a template or blueprint for your own improvisations. Memorizing an entire solo or just a line or two can be especially beneficial when it comes to improvising your own solos. After perfecting one of the solos with the play-along, try improvising while occasionally incorporating some of the written solo material. Additionally, try writing your own solos and recording them to see how they sound.

Articulation

Articulation is an important part of capturing the correct style. For the first 10 solos, the articulation used by the soloist has been notated for you to learn. Listen closely to the soloist's articulation and hear how it contributes to creating the correct style for the music. For the rest of the solos see if you can hear which notes are tongued, slurred, accented and played *tenuto*. The more you listen, the more you will pick up on the articulation and gradually it will begin to come out in your own playing.

In addition, *jazz articulation or upbeat tonguing* is an articulation pattern commonly used by jazz musicians. Playing it may be a bit tricky at first and require a good deal of practice but eventually, it will become automatic and easy to apply to any piece of music and even to your own improvisations. The pattern involves tonguing the upbeat eighth note and slurring it to the downbeat eighth note. If an eighth note line begins on the downbeat then the first two eighth notes will be tongued in order to get into the pattern. If the line begins on the upbeat then the articulation pattern begins immediately. Here is an example from *It Did*:

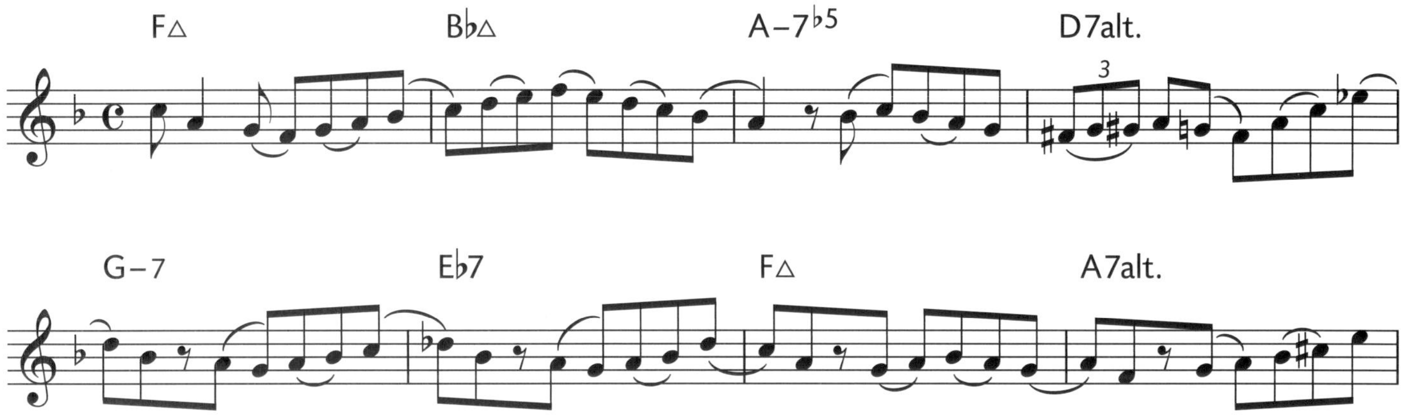

In addition to reading the notated articulation and listening to the soloist, practice applying jazz articulation to the solos. While jazz articulation is the predominant articulation, rarely would a performance consist solely of this. There are other common articulations including, for example, *consecutive tonguing* (tonguing every note in a *tenuto* fashion). Usually, an improvisation would include a variety of articulations with jazz articulation being the most prominent. Each musician has his/her own way of playing and articulation is big part of that.

Swing Eighths Vs. Straight Eighths

Some of the solos are in swing or shuffle grooves while others are in a Latin or bossa nova groove. Swing eighth notes should be used for all swing and shuffle grooves while even or straight eighth notes should be played for all Latin or bossa nova grooves. Refer to the table of contents for the appropriate eighth note "feel".

Recording the Solos

Recording your playing can be a very useful tool in evaluating your performance. It gives you the opportunity to hear aspects of your music that might go unnoticed while you are actually playing. Perhaps you're a little flat or sharp, or maybe you're rushing or dragging the tempo.

Also try recording your improvisation with the CD to see how it sounds. The evolution of your music can be greatly accelerated with this approach.

Memorizing

Ideally, once you have perfected a solo it should be memorized so that you are able to play it by ear. By doing this you will be learning, hearing and playing more intuitively. This will help you to internalize the melodic language of jazz and blues. The more you internalize that language, the more it will come out naturally in your own improvisations. This process is similar to the way you learned to speak your native language: by hearing it constantly as a child, you ended up learning to speak it simply through repeated listening (as well as through trial and error).

Tips for Memorizing

- Once you can play the written solo by reading it, listen repeatedly to the demonstration track until you can sing it with the recording. Do this every day until you are able to sing without looking at the music. Then, try singing without the recording while looking at the music only. Sing slowly so you have time to produce the note your ear is hearing. Try to sing each pitch as accurately as possible. Do this every day until you are able to sing it by memory.
  (All musicians use singing as a means for learning music, even if they are not good singers. After all, the voice is the most basic instrument we have. Your instrument, whether it's a saxophone, guitar, piano, etc., is simply an extension of your voice.)
  Once you can sing the solo, try playing it by memory on your instrument. Again, do this slowly so you have time to react to the next note you hear.

- Another approach is to simply play the piece over and over. When you think you know it, glance away from the page and try playing it again, looking back when you're not sure. Then, read it again. Notice the notes or phrases you couldn't remember. Now, look away and try once more. Repeat this process every day until you can play it without looking.

The key to memorization, whether singing, playing, or listening, is repetition.

Analyzing

Each solo should also be analyzed harmonically. This way you will both learn how the melodic construction fits with the chords and also begin to understand how to write and play your own melodic lines. Further studies in jazz theory may be needed to effectively analyze the music. The following is an example of *I. O. U.* with analysis.

* chromatic passing tone
** chromatic approach

Vocabulary and Phrasing

These solos have been purposely written to provide you with common melodic and harmonic language used in jazz and related styles. Illustrated throughout are idiomatic uses of the main ingredients of jazz including bop scales, approach notes, natural and altered tensions, symmetrical diminished scales, diatonic patterns, pentatonic scales, tritone substitution and blues scales. In addition, the solos contain many lines and clichés that have become permanent and widely played elements of jazz. To a great extent, these are what make the music sound like more than just scales and chords. Many of these phrases and ideas appear more than once within the book giving you further practice, exposure and information on their sound and uses.

Additionally, many of the solos are largely based on eighth-note phrases and lines. Eighth notes are the predominant rhythm in jazz especially as they relate to the eighth note melodic line. Therefore, you will find many eighth note lines. While this is not unusual in improvisation, it also serves to give you greater experience with the melodic language and implied harmony of jazz, blues and Latin styles.

Lastly, the use of motivic development or theme and variation, as well as, quoting (inserting a melody from a well-known song) is employed throughout.

Transposing Lines

Taking a line or lick from a solo and learning it in 12 keys is common practice among jazz musicians. There are many melodic clichés throughout these solos that can be looked at separately and learned in all keys. By doing this over time, you will build a repertoire of lines that will feed your own soloing. Eventually, that repertoire will become ingrained in your ear and fingers and you will be able to creatively "speak" the language of jazz, a process similar to how you learned to speak your native tongue.

Specifically, the II V I chord progression is the most common progression in jazz. Because of this, musicians often memorize II V I lines in all keys. These can then be plugged into your solos whenever there is a II V I progression. While not an end in itself, this process can help you to create your own ideas which will then retain the overall essence and authenticity of the jazz language.

Learning lines takes considerable practice. One approach is to play a line many times every day until you can play it by ear. Then try playing it up a half step or down a perfect fifth (cycle of fifths). Another method is to analyze the notes relative to the chords. Write out the II V I chord progression in all keys and then simply apply the numbers from any II V I line to the II V I chords in each new key. After a couple of days you will begin to hear the line and will no longer need to rely on the numbers. Naturally, having a solid grounding in jazz theory is helpful for this method. The following is an example of a II V I line with analysis.

Writing Your Own Solos

Composing your own solos is an excellent exercise, which will actually help you improve your ability to improvise. After all, improvising is only composing in the moment. Writing down your own solos gives you the luxury of being able to go back and change what you don't like and ultimately perfect the solo. You can experiment to see what works and what doesn't. Once you've finished, record it with the play-along and then listen to see how it sounds.

Conclusion

All of these approaches and techniques are excellent ways to utilize the solos in this book. It is not, however, necessary to do all of them on every solo you work on. One or more of the approaches when done diligently will yield positive results that will enhance every facet of your playing.

Einleitung

Über das Buch

Mit diesem Buch kann man auf unterschiedliche Art und Weise arbeiten. Jedes Solo bietet die Möglichkeit, am Vom-Blatt-Spiel, der Technik, Phrasierung, Artikulation und am Gesamtstil zu feilen. Darüber hinaus enthalten die Melodien der Solos jede Menge idiomatisches Jazz- und Blues-Vokabular. Wenn man sie gelernt und zur Begleit-CD mitgespielt hat, können sie als Vorlage für eigene Improvisationen dienen. Ein ganzes Solo oder auch nur eine oder zwei Phrasen auswendig zu lernen kann sich beim Improvisieren eigener Solos als überaus nützlich erweisen. Sobald du ein Solo mithilfe des Playalongs perfektioniert hast, solltest du improvisieren und dabei ab und zu etwas von den notierten Solos integrieren. Versuche außerdem, eigene Solos zu notieren und aufzunehmen, um zu hören, wie sie klingen.

Artikulation

Die Artikulation ist ein wichtiger Bestandteil eines stilistisch korrekten Spiels. Bei den ersten zehn Solos im Buch ist die Artikulation des Solisten für dich notiert. Hör dir die Aufnahmen genau an und achte darauf, wie die Artikulation zu einem stimmigen Stil beiträgt. Bei den übrigen Solos solltest du darauf achten, welche Noten angestoßen, gebunden, akzentuiert oder als *tenuto* gespielt werden. Je mehr du dir anhörst, umso besser wirst du die Artikulation verstehen und sie in deinen eigenen Solos anwenden.

Darüber hinaus verwenden Jazzmusiker häufig die sogenannte Jazz-Artikulation, auch Offbeat-Phrasierung genannt. Sie erfordert einige Übung, aber nach einiger Zeit kannst du sie bei jedem Musikstück und auch bei eigenen Improvisationen anwenden. Bei diesem Pattern werden die unbetonten Achtel angestoßen und (*legato*) zur nachfolgenden Achtel auf der Zählzeit gebunden. Wenn eine Achtel-Phrase auf der Zählzeit beginnt, werden die ersten zwei Achtel angestoßen, um in den Rhythmus zu kommen. Wenn eine Phrase auf „und" beginnt, fängt das Artikulationspattern direkt an. Hier ist ein Beispiel aus dem Stück *It Did*:

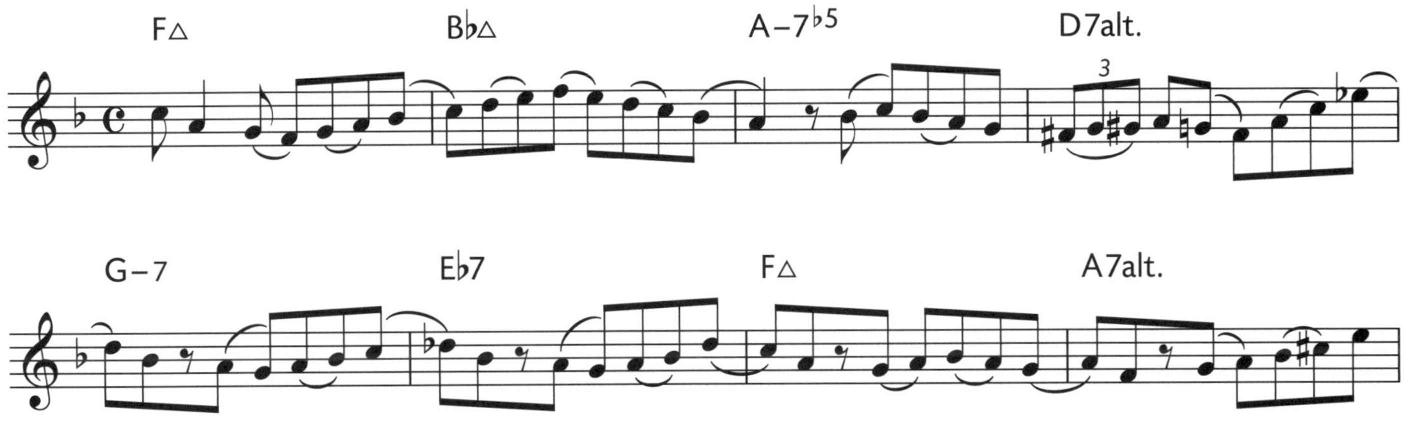

Du solltest üben, die notierte Artikulation zu lesen, dem Solisten zuzuhören und die Jazz-Artikulation auf die Solos anzuwenden. Normalerweise enthält eine Improvisation verschiedene Artikulationsarten, wobei die Jazz-Artikulation am häufigsten verwendet wird. Es gibt noch weitere Artikulationsarten, z. B. wenn (wie beim Tenuto) alle Noten angestoßen werden. Jeder Musiker hat seinen eigenen Stil und die Artikulation ist ein Teil davon.

Swing-Achtel und gerade Achtel

Einige Solos werden im Swing- bzw. Shuffle-Rhythmus, andere in einem Latin- bzw. Bossa-Nova-Rhythmus gespielt. Spiele bei allen Swing- und Shuffle-Rhythmen Swing-Achtel, bei allen Latin- bzw. Bossa-Nova-Rhythmen gerade Achtel. Im Inhaltsverzeichnis findest du stets die Angabe der Stilistik (*even*, dt.: gerade Achtel).

Aufnehmen der Solos

Dich selbst beim Spielen aufzunehmen kann sehr nützlich sein, um zu beurteilen, wie weit du bist. Eine Aufnahme bietet die Möglichkeit, Aspekte deiner Musik zu hören, die du während des Spielens vielleicht gar nicht wahrnimmst. Vielleicht intonierst du etwas zu hoch oder zu tief oder spielst etwas zu schnell oder zu langsam.

Nimm deine Improvisation zur CD auf und höre an, wie sie klingt. So wirst du dich schneller weiterentwickeln.

Auswendig lernen

Lerne ein Solo auswendig, wenn du ihm den letzten Schliff gegeben hast, und spiele es nach Gehör. So schulst du dein Gefühl für die Musik und es hilft dir, die Melodiesprache des Jazz und Blues zu verinnerlichen. Je mehr du das melodische Vokabular verinnerlichst, desto eher kannst du es in deinen eigenen Improvisationen zum Ausdruck bringen. Dieser Prozess ähnelt der Art und Weise, wie du deine Muttersprache sprechen gelernt hast: Indem du sie als Kind permanent gehört hast, konntest du sie irgendwann einfach nur durch wiederholtes Zuhören (und durch Ausprobieren) sprechen.

Tipps für das Auswendiglernen

- Wenn du das notierte Solo spielen kannst, solltest du dir den Demo-Track so lange anhören, bis du das Solo (auswendig) mitsingen kannst. Anschließend singst du es ohne Aufnahme. Sing langsam, damit du Zeit hast, den Ton zu erzeugen, den das Ohr hört. Jeder Ton sollte so genau wie möglich gesungen werden. Das solltest du jeden Tag machen, bis du das Solo auswendig und ohne Aufnahme singen kannst.
  (Alle Musiker singen, um Stücke zu lernen, selbst wenn sie keine guten Sänger sind. Schließlich ist die Stimme das einfachste Instrument, das wir haben. Dein Instrument, ob Saxophon, Gitarre, Klavier etc., ist lediglich eine Erweiterung deiner Stimme).
  Danach solltest du das Solo auswendig auf deinem Instrument spielen. Spiele auch hier wieder langsam, um auf das, was du hörst, reagieren zu können.

- Eine weitere Methode ist, das Stück einfach immer wieder zu spielen. Wenn du glaubst, es zu können, wendest du den Blick von den Noten ab und spielst es noch einmal. Wenn du unsicher wirst, schaust du wieder auf die Noten. Anschließend liest du die Noten noch einmal. Achte auf die Noten bzw. Phrasen, bei denen du unsicher warst. Dann schaust du wieder weg und versuchst es noch einmal. Wiederhole diese Vorgehensweise jeden Tag, bis du das Stück ohne Noten spielen kannst.

Ob beim Singen, Spielen oder Zuhören – das Wichtigste beim Auswendiglernen ist das Wiederholen.

Analysieren

Jedes Solo sollte auch in Bezug auf die Harmonik analysiert werden. Auf diese Weise kannst du sowohl lernen, wie die Melodie zu den Akkorden passt, als auch ein Verständnis dafür entwickeln, wie du eigene Melodien notieren und spielen kannst. Vielleicht musst du dich intensiver mit der Jazztheorie befassen, damit du die Musik effektiv analysieren kannst. Hier ist ein Beispiel von *I. O. U.* mit Analyse.

*** chromatischer Durchgangston (chromatic approach)**
**** chromatische Annäherung**

Vokabular und Phrasierung

Die Solos sollen dir die gängige Melodie- und Akkordsprache im Jazz und verwandten Stilrichtungen näherbringen. In ihnen findest du Beispiele für die idiomatische Anwendung der Hauptbestandteile des Jazz wie z. B. Bebop-Skalen, Umspielungen, alterierte und nicht alterierte Optionstöne, verminderte Skalen, diatonische Patterns, pentatonische Skalen, Tritonussubstitution und Bluestonleitern. Darüber hinaus enthalten die Solos viele Phrasen und Wendungen, die sich als dauerhafte und häufig gespielte Jazz-Licks und *cliché lines* etabliert haben. Diese sorgen dafür, dass die Musik nicht einfach nur nach Tonleitern und Akkorden klingt. Viele dieser Phrasen kommen hier im Buch mehrmals vor, damit du sie besser kennen lernen und üben kannst und etwas über ihren Klang und ihre Anwendung erfährst.

Viele der Solos bestehen hauptsächlich aus Achtel-Phrasen. Achtel bilden den häufigsten Rhythmus im Jazz, vor allem weil es viele Melodien gibt, die aus Achteln bestehen. Daher findest du auch hier zahlreiche (teilweise sehr lange) Achtelketten. Erstens sind sie beim Improvisieren nichts Ungewöhnliches, und zweitens ermöglichen sie dir, Erfahrungen mit der melodischen Sprache von Jazz, Blues und Latin und den darin enthaltenen Akkorden zu sammeln.

Nicht zuletzt wird in allen Solos gezeigt, wie ein Motiv (bzw. ein Thema mit Variation) entwickelt und ein Zitat (eine eingefügte Melodie aus einem bekannten Stück) eingesetzt werden kann.

Transponieren

Es ist unter Jazzmusikern üblich, eine Passage oder ein Lick aus einem Solo in allen zwölf Tonarten zu lernen. Alle Solos in diesem Buch enthalten viele melodische Motive, die man sich gesondert anschauen und in allen Tonarten lernen kann. Mit der Zeit wirst du dir ein eigenes Repertoire für deine Solos erarbeiten. Irgendwann ist dieses Repertoire fest in deinem Gehör und deinen Fingern verankert und du kannst die Jazz-Sprache, wie deine Muttersprache, auf eine kreative Art und Weise „sprechen".

Die II-V-I-Akkordverbindung ist die häufigste im Jazz. Die meisten Musiker lernen II-V-I-Phrasen in allen Tonarten auswendig, damit sie diese dann bei jeder II-V-I-Verbindung ins Solo integrieren können. Das Transponieren trägt somit dazu bei, dass du eigene Ideen entwickelst, die das Wesen der Jazz-Sprache authentisch wiedergeben.

Das Erlernen von Licks erfordert viel Übung. Eine Methode ist, sie jeden Tag so oft zu spielen, bis du sie auswendig kannst. Dann spielst du sie einen Halbton höher oder eine Quinte tiefer (vgl. Quintenzirkel). Eine weitere Methode ist, die Noten in Bezug auf die Akkorde zu analysieren. Notiere die Akkorde der II-V-I-Verbindung in allen Tonarten und übertrage die Zahlen auf die jeweiligen Akkorde. Nach ein paar Tagen hörst du dann allmählich die Phrase und brauchst die Zahlen nicht mehr. Natürlich sind für diese Methode gute Grundkenntnisse der Jazztheorie hilfreich. Hier ist ein Beispiel für eine II-V-I-Phrase mit Analyse.

Eigene Solos schreiben

Das Komponieren eigener Solos ist eine hervorragende Übung, die dazu beiträgt, besser zu improvisieren. Schließlich bedeutet Improvisieren nichts anderes als spontan zu komponieren. Wenn du deine Solos notierst, kannst du nachträglich ändern, was dir nicht gefällt und somit das Solo perfektionieren. Experimentiere, um zu sehen, was funktioniert und was nicht. Wenn du fertig bist, nimm das Solo mit dem Playalong auf und höre dir an, wie es klingt.

Fazit

Alle oben beschriebenen Methoden und Techniken sind hervorragende Möglichkeiten, mit den Solos in diesem Buch zu arbeiten. Es ist nicht notwendig, sie in jedem Solo anzuwenden, an dem du arbeitest. Bei sorgfältiger Anwendung kannst du mit einer oder mehreren der beschriebenen Methoden positive Ergebnisse erzielen, die sich auf alle Facetten deiner Performance auswirken.

Introduction

Concernant ce recueil

On peut travailler avec ce recueil de plusieurs manières différentes. Chaque solo offre la possibilité de parfaire le déchiffrage, la technique, le phrasé, l'articulation, et le style général. En outre, les mélodies des solos contiennent tout un foisonnement de vocabulaire propre au langage du jazz et du blues. Une fois qu'on les aura appris et joués sur l'accompagnement du CD, on pourra s'en servir comme modèles pour ses improvisations personnelles. Dans le travail d'improvisation personnelle, il peut se révéler particulièrement utile d'apprendre par cœur tout un solo ou même seulement une ou deux phrases. Dès que tu as optimisé un solo à l'aide du CD d'accompagnement (play-along), tu dois improviser en y intégrant çà et là des éléments issus des solos notés. Essaye aussi de noter tes propres solos et de les enregistrer afin d'entendre comment ils sonnent.

L'articulation

Pour pouvoir émettre un son correct, il faut maîtriser la bonne articulation. Les dix premiers solos du recueil sont notés avec l'articulation du soliste. Ecoute l'enregistrement sur le CD et essaye de comprendre comment l'articulation contribue à rendre le style cohérent. Travaille les 18 autres solos en écoutant avec la plus grande attention l'articulation appuyée, accentuée ou *tenuto*. Plus tu écoutes, plus tu vas comprendre et utiliser l'articulation dans tes propres solos.

En outre, les musiciens de jazz utilisent souvent *l'articulation-jazz* (également appelé phrasé off-beat, accentuation sur le temps faible). L'articulation-jazz consiste à appuyer la croche non accentuée et à la lier (*legato*) à la prochaine croche située sur le temps. Cela demande de l'entraînement, mais au bout de quelque temps, tu peux t'en servir dans n'importe quel morceau, et aussi dans tes propres improvisations. Si une phrase en croches débute sur le temps, ce sont les deux premières croches qui sont appuyées, de manière à être dans le rythme. Si une phrase commence en levant (sur le contretemps), le motif d'articulation commence directement dessus. Voici un exemple tiré de *It Did*:

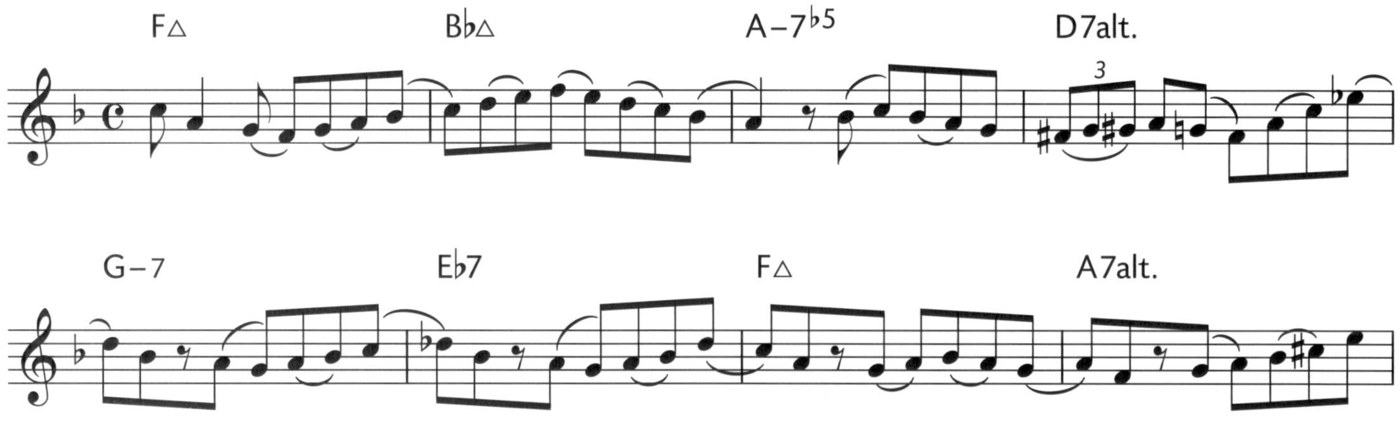

En plus de lire l'articulation notée et d'écouter le soliste, efforce-toi d'appliquer l'articulation-jazz sur les solos. Normalement, une improvisation contient différents types d'articulation, parmi lesquelles l'articulation de jazz est la plus fréquemment employée. Il existe aussi d'autres modes d'articulation, par exemple lorsque (comme dans le tenuto) on appuie toutes les notes. Chaque musicien a son propre style et l'articulation en fait partie.

Croches swinguées et croches égales

Certains solos sont joués en rythme swing ou shuffle, d'autres en rythme latino-américain, ou bossa nova. Joue tous les rythmes swing et shuffle en croches swing, et tous les latino-américains ou bossa nova en croches égales (régulières). Dans la table de matières, tu vois le « feel » de chaque morceau (« even » signifie croches égales).

Enregistrement des solos

T'enregistrer toi-même en jouant peut se révéler très utile pour mesurer à quel stade tu en es. Un enregistrement offre la possibilité d'entendre des aspects de ta musique dont tu n'es peut-être pas du tout conscient au moment où tu joues. Peut-être joues-tu un peu trop haut ou trop bas, ou bien un peu trop vite ou trop lentement.

Enregistre ton improvisation sur l'accompagnement du CD, et écoute comment elle sonne. C'est ainsi que tu te développeras plus vite.

Apprendre par cœur

Apprends un solo par cœur dès que tu l'auras bien fignolé, et joue-le d'oreille. Tu éduques ainsi ton expression musicale, et cela t'aide à intérioriser le langage musical du jazz et du blues. Plus tu intériorises le vocabulaire mélodique, plus tôt tu pourras t'en servir de façon expressive dans tes propres improvisations. Ce processus ressemble à la manière dont tu as appris à parler ta langue maternelle : comme tu l'entendais constamment dans ton enfance, tu as été capable de la parler, en répétant purement et simplement ce que tu avais entendu, et en t'y entraînant.

Conseils pour apprendre par cœur

- Lorsque tu es capable de jouer le solo écrit, écoute la piste de démo jusqu'à ce que tu puisses chanter le solo (par cœur) en même temps. Puis, chante-le sans l'enregistrement. Chante lentement, afin d'avoir le temps de bien former la note que l'oreille entend. Chaque note doit être chantée aussi précisément que possible. Il faut faire cela tous les jours, jusqu'à ce que tu puisses chanter ce solo par cœur et sans enregistrement.
  (Tous les musiciens chantent pour apprendre des morceaux, même s'ils ne sont pas bons chanteurs. De fait, la voix est bien l'instrument le plus simple dont nous disposons. Ton instrument, que ce soit un saxophone, une guitare, un piano, etc., n'est jamais autre chose qu'une extension de ta voix).
  Ensuite, il faut jouer le solo par cœur sur ton instrument. Là encore, joue lentement, afin de pouvoir réagir à ce que tu entends.

- Une autre méthode consiste à jouer le morceau en le répétant et en le répétant encore. Quand tu penses le connaître, tu ne regardes plus la partition, et tu le rejoues. Si tu n'es pas sûr, tu jettes de nouveau un coup d'œil à la partition. Puis relis-la encore. Fais attention aux notes ou aux phrases dont tu n'étais pas sûr. Enfin tu ne regardes plus, et tu réessayes. Répète cet exercice tous les jours, jusqu'à ce que tu sois capable de jouer le morceau sans partition.

Que ce soit en chantant, en jouant ou en écoutant – l'essentiel dans l'apprentissage du par cœur est dans la répétition.

Analyser

Chacun des solos doit être analysé harmoniquement. De cette manière, tu apprendras comment la mélodie s'adapte aux accords, mais tu seras aussi en mesure d'acquérir la capacité de noter et de jouer tes propres mélodies. Peut-être convient-il que tu te préoccupes plus intensément de théorie du jazz afin d'être effectivement capable d'en analyser la musique. Voici un exemple de *I. O. U.* avec analyse.

*** note de passage chromatique**
**** approche chromatique**

Le vocabulaire et le phrasé

Les solos doivent permettre de te familiariser avec la mélodie et le langage harmoniques courants en jazz et dans les styles apparentés. Tu y trouveras des exemples concernant les tournures idiomatiques propres aux composantes principales du jazz, comme les gammes be-bop, les paraphrases, les notes de tension altérées et non altérées, les gammes diminuées, les modèles diatoniques, les gammes pentatoniques, la substitution tritonique et les gammes de blues. En outre, les solos contiennent de nombreuses phrases et formules qui se sont durablement établies et se rencontrent fréquemment en tant que *jazz-licks* ou *cliché lines*. Elles permettent d'éviter que la musique ne se compose seulement que de gammes et d'accords. Beaucoup de ces phrases se retrouvent plusieurs fois dans le présent recueil, afin que tu sois en mesure de mieux les apprendre et les étudier, en te rendant bien compte de leur sonorité et de leur utilisation.

Pour une grande partie d'entre eux, ces solos se composent essentiellement de phrases en croches. Les croches sont la valeur rythmique la plus fréquente du jazz, surtout parce que de nombreuses mélodies sont constituées de croches. C'est pourquoi tu trouveras ici aussi de nombreux (et parfois très longs) passages en croches. Premièrement, ils sont loin d'être inhabituels dans les improvisations, et deuxièmement, ils te permettent d'expérimenter toi-même les langages musicaux du jazz, du blues et du latino-américain avec leurs accords spécifiques.

En particulier, tous ces solos montrent bien comment développer un motif (comme dans le cas d'un thème à variations) ou introduire une citation (rajouter en passant un fragment mélodique tiré d'un morceau connu).

Transposer

Chez les musiciens de jazz, il est courant d'apprendre un passage ou un *lick* dans les douze tonalités chromatiques. Tous les solos de ce recueil contiennent de nombreux motifs mélodiques que l'on peut étudier séparément et apprendre dans toutes les tonalités. Au fil du temps, tu te constitueras ainsi ton propre répertoire pour tes solos. À un moment, ce répertoire sera solidement ancré dans ton oreille et dans tes doigts, et tu pourras alors «parler» le langage du jazz d'une manière créative, tout comme tu parles ta langue maternelle.

La suite d'accords II-V-I est la plus fréquente dans le jazz. La plupart des musiciens apprennent par cœur des phrases en II-V-I dans tous les tons, afin de pouvoir ensuite les intégrer dans leurs solos. Transposer t'amène à développer tes idées originales tout en leur gardant le caractère authentique du jazz.

Apprendre des licks demande beaucoup de travail. Une méthode consiste à les jouer chaque jour si souvent que l'on finit par les connaître par cœur. Puis, tu les joues un demi-ton plus haut, ou une quinte plus bas (voir le cycle des quintes). Une autre méthode est d'analyser les notes en fonction des accords. Note les accords de la suite II-V-I dans tous les tons et reporte les chiffrages de chaque accord. Au bout de quelques jours, tu entends peu à peu la phrase sans avoir besoin des chiffrages. Il est clair que, pour cette méthode, de bonnes connaissances théoriques du jazz sont nécessaires. Voici un exemple d'une phrase en II-V-I avec analyse.

Écrire ses propres solos

Composer ses propres solos est un excellent exercice qui mène à accroître sa capacité d'improvisation. Au bout du compte, improviser ne veut rien dire d'autre que composer avec spontanéité. En notant tes solos, tu peux ensuite modifier ce qui ne te plaît pas, et ainsi perfectionner le solo. Expérimente, afin de voir ce qui fonctionne ou ce qui ne fonctionne pas. Quand tu as fini, prends le solo avec le play-along, et écoute comment ça sonne.

Conclusion

Toutes les méthodes et les techniques décrites ci-dessus offrent de fabuleuses possibilités de travailler les solos de ce recueil. Il n'est pas nécessaire de les appliquer toutes à chaque solo sur lequel tu travailles. En les utilisant avec soin, les méthodes ici décrites te permettront d'obtenir des résultats positifs qui exerceront leur influence sur toutes les facettes de ta performance.

CD audio: 1
MP3: 1/30

A Foggy Daze

Jeff Harrington

CD audio: 2
MP3: 2/31

Beautiful

Jeff Harrington

Bossa Nova ♩ = 142

CD audio: 3
MP3: 3/32

Autumn Left

Jeff Harrington

CD audio: 4
MP3: 4/33

Dadaism

Jeff Harrington

Latin ♩ = 118

CD audio: 5
MP3: 5/34

No More

Jeff Harrington

♩ = 161

Chorus 1 Feel in Two

Chorus 2 Feel in Four

CD audio: 6
MP3: 6/35

Om

Jeff Harrington

29
F♯–7 B7alt. E–7 A7
33
G△ G–7 C7
37
F♯–7 F°7 E–7 A7
41
D△ C♯7sus4 C♯7
45
D△ G7 F♯–7 B7alt.
3
49
E–7 G–7 C7
53
F♯–7 B7alt. E–7 A7 D△ D6⁹

CD audio: 7
MP3: 7/36

Funny Peculiar

Jeff Harrington

CD audio: 8
MP3: 8/37

You

Jeff Harrington

♩ = 135

CD audio: 9
MP3: 9/38

True Blues

Jeff Harrington

Shuffle ♩ = 145

33
A–7
D7
G7
Chorus 4
37
G7
41
C7
G7
E7alt.
45
A–7
D7
G7
E7
E♭7
D7alt.
Chorus 5
49
G7
53
C7
G7
E7alt.
57
A–7
D7
G7
Chorus 6
61
G7
65
C7
G7
E7alt.
69
A–7
D7
G7
Break
G7

CD audio: 10
MP3: 10/39

On Purple Shark Lane

Jeff Harrington

Chorus 2
Latin
D△
F△/D
E△/D
E♭△/D
D△
B7alt.
Swing
E–7
A7
D△
G–7
C7
F△
E–7
A7
Latin
D△
F△/D
E△/D
E♭△/D
D△
B7alt.
Swing
E–7
E–7/D
C♯–7♭5
F♯7alt.
B–7
B–7/A
G♯–7♭5
C♯7alt.
F♯–7
B7alt.
E–7
A7
D△♯11

CD audio: 11
MP3: 11/40

December In The Snow

Jeff Harrington

33 C–7 F7 C–7 F7
3
37 B♭△
41 D–7 G7 D–7 G7
45 C7 G–7 C7
49 F△ B♭7 A–7 D7alt.
53 G–7
57 E♭7 G–7 C7
61 F△ D7alt. G–7 C7
Tag
65 F△ D7alt. G–7 C7 F△
70 D7alt. G–7 C7 F△

CD audio: 12
MP3: 12/41

Blue

Jeff Harrington

25
F–7
B♭7
E♭△
29
E–7♭5
A7alt.
D–7
E–7♭5
A7alt.
Chorus 3
33
D–7
G–7
37
E–7♭5
A7alt.
D–7
41
F–7
B♭7
E♭△
45
E–7♭5
A7alt.
D–7
A7alt.
D–6

CD audio: 13
MP3: 13/42

Equal

Jeff Harrington

CD audio: 14
MP3: 14/43

Ipanema

Jeff Harrington

Bossa Nova ♩ = 130

CD audio: 15
MP3: 15/44

Introductions

Jeff Harrington

CD audio: 16
MP3: 16/45

Someplace

Jeff Harrington

CD audio: 17
MP3: 17/46

Gone

Jeff Harrington

Latin ♩ = 144

Chorus 1

Chorus 2

33 B♭△ E♭7♯11
37 C7 A♭7♯11
41 B♭△ D7alt. G–7 C7 C♯°7
45 D–7 G7alt. C–7 F7 B♭△ G7alt. C–7 F7
49 B♭△ E♭7♯11
53 C7 A♭7♯11 B♭△ D7alt.
58 G–7 E♭–7 D–7 G7alt. C–7
62 F7 B♭△ C–7 F7 B♭△

CD audio: 18
MP3: 18/47

Fab Four

Jeff Harrington

♩ = 128

Chorus 1

Chorus 2
33 C7 C–7 F7 B♭△ G7alt.
37 C–7 D–7 G7alt. C–7 F7 B♭△
41 C7 C–7 F7 B♭△ G7alt.
45 C–7 D–7 G7alt. C–7 F7 B♭△
3
49 E♭–7 A♭7 D♭△ F♯–7 B7 E△
53 E–7 A7 D△ D♯°7 E–7 A7 D–7 G7alt.
57 C7 C–7 F7 B♭△ G7alt.
61 C–7 D–7 G7alt. C–7 F7 B♭6

CD audio: 19
MP3: 19/48

Silk Serenade

Jeff Harrington

CD audio: 20
MP3: 20/49

Sonar

Jeff Harrington

♩ = 160

CD audio: 21
MP3: 21/50

Sleepy Head

Jeff Harrington

♩ = 185

Chorus 1 Feel in Two

Chorus 2 **Feel in Four**

CD audio: 22
MP3: 22/51

Jump, Jivin' Whale

Jeff Harrington

33 D–7 G7 C7
Chorus 4
37 C7
41 F7 C7 A7alt.
45 D–7 G7 C7
Chorus 5
49 C7
53 F7 C7 A7alt.
57 D–7 G7 C7
Chorus 6
61 C7
65 F7 C7 A7alt.
69 D–7 G7 C7

CD audio: 23
MP3: 23/52

Martinique

Jeff Harrington

CD audio: 24
MP3: 24/53

Silly Palpitations

Jeff Harrington

CD audio: 25
MP3: 25/54

I.O.U.

Jeff Harrington

CD audio: 26
MP3: 26/55

Tweety Bird

Jeff Harrington

♩ = 130

CD audio: 27
MP3: 27/56

Split Second

♩ = 177

Jeff Harrington

Chorus 2
F♯–7 B7 G–7 C7 F△ B♭–7 E♭7
E–7 A7 F–7 B♭7 E♭△ E–7♭5 A7alt.
D–7 G7 C–7 F7 B♭△ B♭–7 E♭7
A–7 D7 B♭–7 E♭7 A♭△ G–7 C7
F♯–7 B7 G–7 C7 F△ B♭–7 E♭7
E–7 A7 F–7 B♭7 E♭△ E–7♭5 A7alt.
D–7 G7 C–7 F7 B♭△ B♭–7 E♭7
A–7 D7 G–7 C7 F△ G–7
A–7 G–7 F△ G–7 A–7 G–7
8va (optional)
F△ G–7 C7 F△ Break F7♯9

CD audio: 28
MP3: 28/57

It Did

Jeff Harrington